L'écureuil

Illustré par Pierre de Hugo
Réalisé par Gallimard Jeunesse
et Pierre de Hugo

GALLIMARD MES PREMIÈRES DÉCOUVERTES DES ANIMAUX

Le jour se lè
sur la forêt.

… À
son réveil,
l'écureuil fait
sa toilette.

L'écureuil est un rongeur qui vit dans les bois.

Il est très propre :
il commence sa toilette
par le bout de son nez
et la termine par la pointe
de sa queue.

Sa queue
lui sert de balancier,
et même de couverture
lorsqu'il dort.

L'écureuil
est un véritable acrobate.

Il est très agile et fait des bonds
de plusieurs mètres.

Ses pattes griffues
lui permettent de s'accrocher
aux troncs d'arbres.

Il monte et descend
des arbres en courant,
toujours la tête en avant.

L'écureuil mange principalement
des graines de conifère, des noisettes
et même parfois des oisillons.

Glands

Prune

Mûre

Il grignote en s'aidant
de ses solides incisives.

Voici ce qui reste
d'une pomme de pin
et d'une noisette
après le repas
de l'écureuil...

Pour se désaltérer, il boit dans les ruisseaux ou les flaques d'eau.

L'écureuil change de couleur
au fil des saisons.

Son pelage est roux en été…

… et il devient gris en hiver.

La martre
le poursuit dans les branches.

Les prédateurs de l'écureuil
ont peu de chances de l'attraper,
car il court très vite !

L'autour des palombes
l'attrape en plein vol.

L’écureuil
construit
son nid
en haut
des arbres.

Le nid est tapissé d'écorce, de feuilles,
de mousse et de plumes pour qu'il soit tout doux.

Évolution de la naissance à la maturité

Les petits écureuils naissent au printemps.

Les portées sont de 3 à 7 petits.

À plus d'un mois, le jeune écureuil sait se servir correctement de ses pattes et de sa queue.

La mère transporte ses bébés dans sa bouche.

En automne,
l'écureuil enterre
sa nourriture :
il fait des provisions
pour tout l'hiver.

En hiver,
il creuse la terre
pour retrouver
sa nourriture.
Au printemps,
les graines de noisette
qu'il a oubliées
germent…

Il existe de nombreuses espèces d'écureuils dans le monde.

Écureuil de Prévost Pygmé du Gabon Écureuil nez-long

Tamia

Tamia de Sibérie

Écureuil géant des Indes

Écureuil de Hudson

Écureuil gris

Avec
de la chance,
tu apercevras
les écureuils…

… en train de
voler des graines
dans les nichoirs
des oiseaux !

Mes premières découvertes

La coccinelle
Le temps
La pomme
La carotte
L'œuf
L'arbre
Le chat
La couleur
Sous la terre
La terre et le ciel
L'automobile
Le chien
L'oiseau
Le bord de mer
Le château fort
L'eau
La fleur
L'ours
L'avion
La tortue
L'éléphant
La souris
La baleine
Le cheval
La maison
Le dinosaure
Le bateau
Le bébé
La ferme
L'heure
La rivière
La jungle
Plus ou Moins
Le singe
L'abeille
La musique
Le cirque
L'aigle
Le castor
Compter
La pyramide
La chouette
Les portraits
Atlas des pays
La grenouille
Le poisson
Le loup
Les Indiens
Le corps
Le train
Le pingouin
Le Louvre
La cathédrale
Le chantier
Le téléphone
Le papillon
Atlas du ciel
La sculpture
Vincent van Gogh
Noël
La vache
La préhistoire
La vie du corps
Henri Matisse
Pablo Picasso
Le pain
Les bestioles
Les pompiers
Fernand Léger
Le canard
L'impressionnisme
Les crèches
Le football
Grandir
Le vent
L'écureuil
Halloween
Paul Gauguin
Le lion
Internet
L'école maternelle
La montagne
Le kangourou
L'orchestre
Le sucre
Le carnaval
Le lapin
Le désert
Le camouflage
Le lait
L'hôpital
Le crocodile
Les cinq sens
Les animaux en dange
Les pirates
L'âne
Le tigre
Le hérisson
Les volcans
La marmotte
Le dauphin
La géographie
La girafe
La lune
Le cerf
Le serpent
Le dromadaire
L'autruche
Les droits de l'enfan
Le perroquet
Marins d'eau douce

Responsable éditoriale : **Anne de Bouchony** • Maquette : **Concé Forgia**
Conseiller pédagogique : **Philippe J. Dubois**

ISBN : 2-07-051857-4

1er dépôt légal : mai 1998
Dépôt légal : avril 2006
Numéro d'édition : 144114

Imprimé en Italie
par Editoriale Lloyd
Loi n° 49-956 du 16 juillet 1949
sur les publications destinées
à la jeunesse